LES GRANDES ÉNIGMES DE L'HISTOIRE

Anouk Journo-Durey

LES GRANDES ÉNIGMES DE L'HISTOIRE

Le monstre du loch Ness

Illustrations
de Nancy Peña

bayard poche

Un clin d'œil à Nathalie Chalmers...
En souvenir d'un été familial en Écosse.

© Bayard Éditions, 2015
18 rue Barbès, 92120 Montrouge
ISBN : 978-2-7470-5689-2
Dépôt légal : septembre 2015
2ᵉ édition – Août 2016

The Loch Ness Monster's Song[1]

Sssnnnwhufffll?

Hnwhuffl hhnnwfl hnfl hfl?

Gdroblboblhobngbl gbl gl g g g g glbgl.

Drublhaflablhaflubhafgabhaflhafl fl fl –

gm grawwwww grf grawf awfgm graw gm.

Hovoplodok – doplodovok – plovodokot-doplodokosh?

Splgraw fok fok splgrafhatchgabrlgabrl fok splfok!

Zgra kra gka fok!

Grof grawff gahf?

Gombl mbl bl –

blm plm,

blm plm,

blm plm,

blp.

Edwin George Morgan (1920-2010), poète écossais.

---

1. « **La chanson du monstre du loch Ness** ». À lire à voix haute et à écouter pour en apprécier les savoureuses sonorités (gaéliques)... et la drôlerie ! On en trouve de nombreuses versions sur Internet.

Prologue

L'eau est lisse tel un miroir reflétant l'ombre des montagnes.

Soudain, des remous agitent la surface non loin du rivage...
Et un corps immense se profile, entouré de vagues. On distingue
une bosse noire... Ou deux ? Trois ? Puis surgit un long cou
surmonté d'une curieuse petite tête à cornes. Gueule ouverte,
l'apparition serpente rapidement... et plonge.

Le cœur battant, on guette, on attend.

Mais... plus rien. Le calme plat revient... Jusqu'à la prochaine
fois.

Quelle est donc cette créature hors du commun, effrayante,
peut-être dangereuse, dont le monde entier a entendu parler ?

On ne sait pas.

On sait juste qu'elle vivrait là, dans ce loch[1], de la région sauvage du nord de l'Écosse qu'on appelle les Highlands. Un loch très particulier. Très étroit et allongé, filiforme comme une gigantesque anguille, il donne sur le fleuve Ness, qui se jette dans la mer du Nord. Sa masse liquide est sombre, dense et tourbeuse. Bien que dénuée de sel, elle ne gèle jamais. Les profondeurs, impressionnantes, atteignent parfois deux cent vingt-sept mètres. Autour s'élèvent des sommets escarpés, des forêts, et Urquhart, un vieux château en ruine.

Le monstre du loch Ness a été vu pour la première fois en l'an 565 : Colomban, un saint moine irlandais, l'aurait aperçu alors qu'un de ses disciples traversait le lac à la nage. Selon son biographe, saint Adamnan, une créature terrible, rugissante, fonce vers le pauvre homme... Mais saint Colomban lui ordonne de s'arrêter, esquisse le signe de croix, prie... Et la Bête lui obéit sans broncher. On y croit... ou pas. Toujours est-il que, par la suite, la créature serait sagement restée inoffensive. Pour nous faire plaisir ? Nous apprivoiser ? On l'a d'ailleurs surnommée Nessie. C'est joli. Affectueux. Peut-être pour préserver les apparences.

Elle[2] devient mondialement célèbre à partir de 1933. Cette année, la route A 82, est construite le long de la rive ouest du loch Ness. La voie étant dorénavant dégagée, on peut s'approcher du lac et observer, scruter...

---

1. « Loch » : mot issu du gaélique signifiant « lac ». On prononce « lor ».
2. En anglais, lorsqu'on se réfère à Nessie, on dit « she » : « elle ». Comme pour une lady !

Mais Nessie joue avec nos nerfs. Elle se manifeste plutôt de loin, et s'évanouit aussi vite qu'elle apparaît. On croit la repérer dans l'eau mais aussi à terre, sur le rivage. Serait-elle amphibie ? Des ministres, des chercheurs, des journalistes, des écrivains, des zoologues et des cryptozoologues, ces spécialistes d'espèces animales non identifiées, se penchent sur son cas. On la dessine, photographie, filme... Mais impossible d'obtenir la moindre preuve tangible, scientifique, de son existence.

Il y a de quoi perdre la tête. Certaines personnes ont consacré leur vie à la recherche de Nessie. Mon grand-père Arthur, par exemple.

Une chose est sûre : entre 1933 et aujourd'hui, on a régulièrement signalé des apparitions de Nessie... sauf en 2013. Comme si Nessie avait refusé de se montrer en cette année qui coïncidait avec le quatre-vingtième anniversaire de sa toute première photographie. « Le » cliché qui avait déclenché des réactions mondiales. Du coup, en 2013, on a entendu dire que, peut-être, Nessie n'était plus en vie...

Et voilà qu'en janvier 2015, l'*Inverness Courier*, important journal local, publie une extraordinaire image-satellite du loch Ness. Sous la surface, on perçoit une sorte de calmar gigantesque. Est-ce Nessie ? Peu de temps après, sur l'île de Skye, au nord-ouest de l'Écosse, survient une autre découverte stupéfiante.

Ce récit s'inspire de ce qui m'est arrivé l'été suivant... L'été où j'ai affronté ma plus grande peur.

Chapitre 1

Après l'éclipse...

Assis dans l'herbe, adossé à un rocher qui surplombait le loch Ness, je regardais l'eau miroiter sous le soleil. Presque hypnotisé par le reflet des nuages, je n'avais aucune envie de bouger.

Visiter le vieux château d'Urquhart ? Non merci. Depuis le temps qu'on vivait dans les Highlands, j'en connaissais chaque pierre et craquelure secrète.

Emma, elle, s'était précipitée vers les ruines de la forteresse. Du haut du donjon, elle prendrait des photos pour participer au nouveau concours organisé par l'*Inverness Courier* :

le meilleur cliché de Nessie serait récompensé d'une coquette somme d'argent, et elle voulait tenter sa chance. Le journal de la région aime encourager les « chasseurs de monstres » et autres amateurs de « Nessie et compagnie », comme disent nos grands-parents. Pour eux, c'est un divertissement destiné aux touristes ! Malgré tout, eux aussi restent sur le qui-vive. Surtout grand-père Arthur.

Comme chaque été passé à Drumnadrochit[1], j'imaginais tout ce qui ne se voyait *pas* dans les profondeurs sombres du loch Ness. Des saumons, des truites, des esturgeons, des serpents... Et deux créatures qui avaient hanté mes pires cauchemars.

La première, Nessie, se parait désormais d'un côté presque amusant. Un monstre qui fait rire, vous vous rendez compte ? C'est de l'humour écossais, ça ! N'empêche, on vendait des peluches, des aimants décoratifs, des T-shirts à l'effigie de Nessie.

La seconde restait bizarrement angoissante : le *kelpie*, redoutable cheval d'eau qui, peut-être, vivait dans ce lac – et dans d'autres – depuis beaucoup plus longtemps que Nessie. Le *kelpie* était un esprit mauvais. On racontait qu'il envoyait à la mort les imprudents, qu'il était maléfique.

Pour rien au monde, je n'aurais nagé dans le loch Ness. J'évitais soigneusement d'y tremper ne fût-ce que le petit orteil. Je ne m'en vantais pas auprès de mes camarades, évidemment. À la piscine

---

1. Prononcer « drumnadrorit » (le « t » final doit être entendu).

ou en mer, ça allait. J'étais même plutôt bon nageur. Ici, je me cantonnais à la terre ferme.

Emma aussi.

J'ai jeté un coup d'œil autour de moi. En ce début d'août, les touristes affluaient des quatre coins de la planète. Le célèbre village de Drumnadrochit grouillait de visiteurs. Munis de jumelles, de caméras, tous essaieraient d'apercevoir la créature mythique.

Comme si Nessie allait s'exhiber tel un monstre de foire, en plein jour, alors que tant de bateaux de croisière sillonnaient le lac ! En plus, évènement rare dans nos contrées écossaises, il faisait beau. On se serait cru dans le sud de la France d'où vient maman. Durant l'année scolaire, Emma et moi vivons à Inbhir Nis – Inverness en gaélique –, la plus grande ville de la région à l'embouchure du fleuve Ness. Mais on passe les vacances chez les parents de papa, à Drumnadrochit. Ils adorent la nature, la faune, la flore... Et fuient la foule.

Nessie aussi. Je le parie.

Mon téléphone a bipé

« J'ai vu une ombre géniale ! »

J'ai souri.

« Tu vois toujours des ombres géniales. »

« Oui, mais celle-là l'est réellement ! X-D »

Le fichier joint montrait la surface de l'eau et des espèces de traits au-dessus : un animal mi-baleine mi-éléphant, avec un cou de diplodocus. Pff... Emma avait dessiné ça à l'aide du logiciel graphique de son smartphone.

« Tu crois gagner le concours avec ça ? »

J'ai reçu un smiley qui tire la langue.

« MDR »

Puis j'ai pris mes jumelles et scruté l'horizon. La surface du loch brillait d'un éclat surprenant. Les quelques nuages qui filaient dans le ciel s'y reflétaient. Échos visuels, des nuances noires se mouvaient sur l'eau comme des cumulus aquatiques... Mais on pouvait aussi y apercevoir tant d'autres formes ! Un serpent de mer, un reptile, une otarie géante... Nessie pouvait appartenir à n'importe laquelle de ces espèces...

Si elle existait.

Les yeux rivés sur les vaguelettes provoquées par les embarcations et vedettes de croisière, j'ai songé qu'entre l'écume, les remous et le reste, il était facile de visualiser une créature fabuleuse. Ou plusieurs... Car Nessie n'était ni unique ni éternelle. Elle vivait forcément avec les siens, et s'était reproduite au fil des années. On nous l'avait expliqué en cours de SVT, en prenant les précautions d'usage (« peut-être », « sans doute », « on ne saura jamais »...).

Malgré tout, comment ne pas imaginer qu'une bête extraordinaire se mouvait dans les fonds ténébreux de cette immense étendue d'eau douce ? C'était si merveilleux d'envisager cette possibilité. Si... troublant.

Au même instant, comme pour me donner raison, la lumière a brutalement baissé. Ça m'a rappelé l'éclipse du mois de mars précédent. Sauf qu'il s'agissait juste d'un imposant nuage qui obscurcissait le soleil. Impulsivement, j'ai cherché dans mon sac à dos les lunettes spéciales, opaques, que j'avais utilisées alors pour observer le ciel. En farfouillant dans les poches intérieures, j'ai fait tomber mon sandwich au thon, qui s'est éparpillé en miettes sur le gazon. Aussitôt des oiseaux se sont précipités pour se régaler.

Un juron m'a échappé. Moi qui mourais de faim ! Mais que voulez-vous, ma curiosité était si dévorante...

Plaçant le bandeau plastifié décoré d'étoiles devant mes yeux, j'ai regardé en l'air, ensuite vers l'eau, et me suis concentré. D'abord, je n'ai pas vu grand-chose. Puis, peu à peu, j'ai eu l'impression que de curieux points scintillaient à la surface du lac. Ils s'étiraient sur plusieurs mètres. Un fil lumineux semblait les relier.

Soudain, j'ai cru deviner une forme...

Le souffle coupé, j'ai ôté les lunettes et observé la scène. En contrebas, le soleil étincelait vivement sur l'eau sombre. Quel contraste saisissant ! Le filtre en plastique captait-il ce que je n'aurais jamais repéré à l'œil nu ou avec une simple paire de jumelles ?

– Waaaaaaarrrrrrr !

Arraché à mes pensées, j'ai sursauté. Emma – c'était elle, évidemment – m'a photographié en train de faire une grimace.

– MDR toi-même ! Le monstre, c'est toi, Mickaël !

– Tu m'énerves ! J'étais en train de voir un truc !

– Oui, oui, c'est ça.

– Jette un œil si tu ne me crois pas !

Sans un mot, Emma a ajusté les lunettes et froncé le nez, comme à chaque fois qu'elle s'applique.

– Tu as raison, il y a quelque chose ! Une baleine ? Non, une... deux orques ! Et un éléphant aquatique à plumes !

– Tu te crois drôle ?

Et, haussant les épaules, j'ai reporté mon attention sur le loch. Sa surface lisse reflétait les nuages, les arbres, les contreforts montagneux. De notre observatoire, à une centaine de mètres du château d'Urquhart, on profitait pleinement du panorama. Les touristes allaient et venaient derrière nous, ignorant cette partie escarpée, en retrait, qui surplombait le lac. Une de nos cachettes préférées.

– Mais si ! s'est alors écriée Emma, surexcitée.

– Non. Vraiment pas marrante.

– Si, je te dis !

– Ha, ha.

– Je te jure ! Waouh...

– Rends-moi les lunettes !

– Mais maintenant elle n'est plus là... Oh, c'est toujours pareil, a soupiré Emma. C'était long, noir, et ça bougeait. Et, comme d'habitude, ça a disparu.

– Tu es sérieuse ?

– Ben oui.

J'ai examiné ma sœur, perplexe.

– Bon, moi, j'ai faim, a-t-elle poursuivi avec entrain. Vite, mon sandwich !

Prenant le sac à dos, elle a remarqué les miettes de thon sur l'herbe, ainsi que le pain déjà déchiqueté par les oiseaux un peu plus loin.

– Qu'est-ce qui s'est passé ? Tu as été attaqué par un *Sandwichozaurex thonotivore* ?

Malgré ma mauvaise humeur, je n'ai pas pu m'empêcher de sourire. Comme grand-père Arthur, Emma invente des mots comme elle respire.

– Mouais. Il mesurait vingt mètres de long, il avait la forme d'une baguette coupée en deux et...

À ce moment-là, mon téléphone a sonné. Granny – notre grand-mère – voulait qu'on rentre sans tarder : une nouvelle détonante venait de tomber.

Chapitre 2

Une révélation fracassante

La maison de nos grands-parents se situe à la sortie de Drumnadrochit, à l'écart de la route A82 qui longe la rive ouest du loch Ness. C'est la dernière bâtisse dans un vallon verdoyant entouré de collines. Un peu plus loin, des prés fleuris où broutent des vaches à poils longs, nos célèbres *Highland cows*. À l'horizon, des sommets plus abrupts, et ce ciel bleu glacier qui teinte le paysage d'une lumière particulière. Dans cette région d'Écosse, on a toujours l'impression d'être au bout du monde.

– Allez voir Grand-Dad, a demandé Granny dès que nous sommes arrivés. Il est dans son bureau... À mon avis, vous seuls réussirez à le calmer !

Et elle a soupiré. Les cheveux blancs noués en chignon, vêtue d'une robe à fleurs, elle incarne la grand-mère dont on rêve tous. Douce, à l'écoute, le visage fendu d'un sourire bienveillant... On adore Elizabeth MacDougall.

Arthur MacDougall, lui, a un tempérament bouillonnant. « Que voulez-vous, c'est le sang et l'esprit des MacDougall qui coulent dans mes veines... Et dans les vôtres aussi ! » se plaît-il à répéter. Il fait allusion à l'un des plus anciens clans d'Écosse auquel nous appartenons. De quoi être fiers, à ce qu'il paraît. En ce qui me concerne, je suis surtout fier de mon grand-père. C'est quelqu'un.

On a frappé à la porte. Pas de réponse, mais du bruit nous parvenait de l'intérieur. Il s'y trouvait bien.

– On y va, nous a encouragés Emma.

– Il risque de nous envoyer promener !

– Tant pis...

J'ai souri.

– OK.

Alors on est entrés.

Debout au milieu de la pièce, poings sur les hanches, Grand-Dad était en train d'écouter un reportage diffusé à la radio :

– « ... et cette photo récente, prise à la surface de ce lac écossais non loin de Lerwick, la capitale de l'archipel des Shetland, est à l'origine d'une nouvelle hypothèse sur la nature réelle de Nessie ! Nous voyons un grand animal avec un long corps effilé et trois bosses. Exactement comme dans le loch Ness ! Sauf que là, il s'agit clairement d'une immense loutre... Les trois bosses sont sa tête, son dos et sa queue. Cette loutre a été surnommée Dratsie. Elle risque de détrôner Nessie et... »

– Ridicule ! Scandaleux ! s'est écrié Grand-Dad après nous avoir jeté un bref regard.

Nous avait-il vraiment vus ?

Il a éteint l'appareil d'un coup sec. Son abondante chevelure grise et sa barbe lui donnent l'air d'un vieux loup de mer. Cette image colle à la réalité puisqu'il a vécu plus de cinquante ans au bord d'écluses, de rivières, de lochs... et sur son bateau de pêcheur transformé en laboratoire de recherches. Arthur MacDougall appartient au cercle très fermé des chasseurs officiels du monstre du loch Ness. « Chasseur » au sens figuré, bien sûr. Il traque la créature depuis toujours, dans l'espoir de la voir, de la toucher, de la comprendre...

De cesser de la rêver.

– Et ça fait dix fois en une demi-heure qu'on entend cette information ! Un prétendu scoop ! a-t-il marmonné. On a émis l'hypothèse de la loutre il y a plus de quatre-vingts ans, et personne ne l'a jamais confirmée !

Il s'est mis à arpenter son bureau en parlant tout seul :

– Maintenant, la *monstruosite* va empirer !

– La... quoi ? ai-je demandé.

– L'adoration du monstre, a traduit Emma.

Grand-père venait d'inventer ce mot, et cela ne la surprenait même pas. Évidemment, elle-même adorait aussi ce petit jeu.

– Mais il n'y a pas de monstre ! Nessie n'a rien de monstrueux. Elle est magique ! a martelé Grand-Dad en continuant à marcher de long en large. Comment osent-ils affirmer que notre *Nessitera rhombopteryx* est une simple loutre ?

– *Nessitera rhombopteryx*, c'est bien le nom savant de Nessie ? ai-je interrogé, dans l'espoir d'apaiser l'indignation de notre grand-père.

Perdu...

– Bien sûr ! Tu le sais bien, non ? Notre Nessie ! On ne pourrait pas la laisser tranquille ? Si elle est toujours en vie, Nessie va en avoir assez et...

– Euh... On l'a peut-être aperçue, a tenté Emma.

– Ah, évidemment ! Comme par hasard, juste aujourd'hui ?

Grand-père s'est immobilisé pour observer ma sœur d'un air dubitatif, et s'est enfin radouci.

– Ma chérie, Nessie ne peut pas être à la fois dans les Shetland et ici ! Et ce reportage stupide... Totalement stupide ! Comment peut-on croire que cette Dratsie soit de la même famille que Nessie ? Il y a quelque temps, des chercheurs de l'université d'Édimbourg ont retrouvé, sur l'île de Skye, le fossile d'un reptile marin de plus de quatre mètres, de l'époque du jurassique ! Un vrai monstre, pour le coup ! Rien à voir avec Nessie mais...

À cet instant, Granny nous a rejoints. Entendant les derniers mots de Grand-Dad, elle a acquiescé, les yeux brillants.

– Oui, un vrai monstre ! a-t-elle renchéri. C'était le fossile d'un reptile de l'ordre des ichtyosaures qui vivait dans la région il y a cent soixante-dix millions d'années... Skye n'est pas loin d'ici ! Donc peut-être était-ce un cousin de Nessie !

– Peut-être... Si – j'ai bien dit « si » – Nessie était un plésiosaure, a précisé Grand-Dad. On en doute mais bon... Elizabeth *darling*, a-t-il repris, cette histoire de loutre... Je suis outré ! Ah, quel jeu de mots ! Outré par la loutre !

Il ne perdait pas son sens de l'humour. Ouf !

Emma m'a jeté un coup d'œil et on a souri.

En vérité, on a l'habitude de le voir s'emporter. Cela ne nous impressionne plus. Enfin... Presque plus. Il recouvre généralement son calme en partant se promener avec Nooty, son labrador. Les murs du bureau sont tapissés de photos d'animaux et de plantes qu'il a prises durant ses randonnées à l'époque où il travaillait pour l'une des écluses du canal calédonien[1]. Néanmoins, sa grande passion a toujours été Nessie. Il a collaboré

---

1. Voie navigable creusée au début du XIXe siècle pour relier Corpach, près de Fort William, à Inverness. Long de plus de 90 km, il traverse trois grands lacs : le loch Lochy, le loch Oich et le loch Ness. On ne trouve de parties canalisées que sur une trentaine de kilomètres, et elles comportent vingt-neuf écluses. Le nom « canal calédonien » fait référence à l'ancienne appellation de l'Écosse : la Calédonie.

aux travaux menés par le Bureau d'enquête sur les phénomènes du loch Ness, un groupe de scientifiques et d'amateurs qui effectuait des recherches sur la créature. Pour eux, nul doute : elle existait. Lorsque ce cercle a fermé, certains de ses membres ont poursuivi leurs recherches. On savait que notre grand-père s'était lancé dans des observations régulières avec le soutien d'une association secrète dont il n'avait jamais voulu nous parler.

– Et si on allait boire une bonne tasse de thé ? a proposé Granny. Mes chéris, j'ai préparé un gâteau au chocolat et de la marmelade !

– Miam ! Mais je n'ai pas encore déjeuné, a avoué Emma.

– Et moi, mon sandwich est tombé par terre.

Face au regard surpris de Granny, je me suis expliqué brièvement, un peu penaud.

– Tout ça à cause de Nessie... Décidément ! a résumé Grand-Dad. Regardez tous ces articles...

Il nous a montré une pile de papiers entassés sur sa table de travail.

– Vous ne connaissez pas l'autre nouvelle ? Un homme qui n'a jamais mis les pieds en Écosse vient de gagner un prix en envoyant une photo satellite de Nessie ! Il l'a dénichée en surfant sur des sites connectés en permanence à notre loch... On voit une espèce de corps monstrueux... Et fatalement, ça alimente davantage encore la *monstruosite.*

– Mais si Nessie est vivante, on ne peut pas lui faire de mal ? s'est inquiétée Emma.

– Non... Enfin, j'espère !

Grand-père Arthur nous a toujours expliqué que c'était en grande partie grâce au travail du fameux Bureau d'enquête que Nessie a été protégée des vrais chasseurs de monstres. Ceux qui étaient prêts à tout pour la capturer vivante ou morte, dans l'espoir de gagner gloire et fortune. À une époque, une cage gigantesque avait même été fabriquée. Nessie n'était jamais tombée dans le piège.

– Et qu'avez-vous vu, précisément ? a-t-il demandé, s'intéressant enfin à ce qu'on avait à dire.

– Des reflets étranges, vraiment étranges... Grâce à nos lunettes « spéciales éclipse », ai-je confié.

Il a froncé les sourcils.

– Des reflets étranges ? Avec des verres qui servent à observer le soleil caché par la lune ? Vous plaisantez ?

– Et si Nessie brillait comme une étoile ? Au fond, elle est notre star ! a renchéri Granny en consultant son smartphone.

Comme Grand-Dad, Granny utilise les nouvelles technologies sans problème. Surtout depuis que quelques-uns de leurs amis ont installé des webcams à des points stratégiques dans le coin, pour épier Nessie. Protégées par des boîtiers étanches sur le rivage du loch, elles émettent des informations vingt-quatre heures sur vingt-quatre. On trouve tous cette initiative géniale... Même si j'ai l'impression que nos grands-parents sont devenus des sortes de *geeks* !

J'ai aussi pensé, je l'avoue, que grand-père était un peu jaloux de celui qui avait découvert un cliché satellite original et primé...

– Mes chéris, vous n'êtes pas les seuls à avoir vu quelque chose, a-t-elle repris d'un ton exalté. Plusieurs témoignages sont arrivés depuis ce matin. Ma chère Constance Whyte serait aux anges !

– Notre chère Constance, rectifia Grand-Dad partageant l'enthousiasme de sa femme. Moi aussi, je l'ai connue.

– Constance était mon amie.

– La mienne également !

– Mais je l'ai rencontrée avant toi !

J'ai regardé Emma, aussi surprise que moi, tout à coup.

– Et si vous nous disiez plutôt qui était Constance Whyte ! ai-je lancé.

– Oui, qui est-ce ? a enchéri Emma.

– Mon amie ! ont répondu nos grands-parents en chœur.

Puis, à leur tour, ils se sont mis à rire.

– Venez dans la cuisine, on va vous raconter..., a proposé Granny. Oh, non, je rêve ou ça sent le brûlé ?

Chapitre 3

Comment savoir ?

— Et voilà, mon gâteau est beaucoup trop cuit !

Granny s'est hâtée de le démouler. Pour elle qui a tenu une auberge à Drumnadrochit, bien cuisiner est essentiel. Elle déteste rater ses recettes.

— C'est la faute de Nessie, a décrété Emma en s'asseyant à table.

— Mais non, c'est ma faute à moi ! a répliqué notre grand-mère. Si je n'avais pas été distraite par l'histoire de Dratsie... Une histoire qui, franchement, nous laisse sur notre faim ! À propos de faim, mon petit Mickaël, veux-tu un autre sandwich ?

– Oui, merci, Granny.

– Dire que le tien a été dévoré par un *Sandwichozaurex thonotivore*, a de nouveau plaisanté Emma.

– Tu m'énerves, ai-je lâché spontanément.

– Ne commencez pas à vous chamailler, est intervenu Grand-Dad. Compte tenu de ce qui nous attend, nous devons garder toute notre énergie.

– Ce qui nous attend ? ai-je répété. On va partir en expédition ?

Enfin ! Ce serait la première fois depuis notre arrivée à Drumnadrochit quelques jours plus tôt. Comme Emma, c'était ce que je préférais pendant nos vacances. Les périples en bateau que notre grand-père organisait, souvent la nuit, quand tout le monde dormait...

Tout le monde sauf, espérait-on, Nessie.

– Eh oui. Forcément, vu ce que vous m'avez raconté...

– J'ai hâte, ai-je répondu en me beurrant une tartine de pain.

Même si, à chaque fois qu'on naviguait sur le loch, j'avais quand même un peu peur. Vous savez pourquoi.

J'ai ajouté du jambon, du fromage, une autre tranche et croqué le tout à belles dents. Granny a servi du thé, de l'orangeade et des cookies. Sur une assiette, son gâteau avait triste mine. Il ressemblait... à du bois dur.

– Oui, je sais, c'est du gâchis, a-t-elle admis, surprenant mon regard. On ne pourra même pas en donner à Nooty ! Le chocolat est mauvais pour la santé des chiens.

Entendant son nom, un labrador à la robe dorée a trottiné dans la pièce en remuant la queue. Grand-père l'a caressé avec affection, et Nooty s'est couché à ses pieds.

– Bon, revenons à notre amie Constance Whyte, a dit Granny après avoir bu quelques gorgées de thé. C'était la femme de l'administrateur du canal calédonien dont le loch Ness fait partie. Elle était du coin, passionnée... Et elle a écrit *More than a legend*[1], un ouvrage très important pour tous ceux qui, comme nous, se sont intéressés de près à Nessie. Pour elle, il s'agissait probablement d'un plésiosaure.

– Oui, mais à l'école, on nous a dit que ça, c'était impossible, a répliqué Emma. Le plésiosaure est un reptile marin préhistorique qui n'aurait jamais pu vivre dans le loch Ness : l'eau y est trop froide !

– Et il n'y a pas assez de poisson pour le nourrir, ai-je précisé.

– Vous avez bien appris votre leçon, a commenté notre grand-mère d'un ton indulgent. Sauf que, comme tous les organismes vivants, le plésiosaure aurait pu s'adapter à son environnement.

– Quoi qu'il en soit, c'est bien à partir de la publication du livre de Constance, en 1957, qu'on a vraiment commencé à chercher Nessie, a précisé Grand-Dad. Même si, avant, on en entendait parler...

Il a hoché la tête et sourit.

---

1. Littéralement : « Plus qu'une légende ».

– La première photo officielle de Nessie, dans les journaux, je vous prie, date de 1933. Ça a créé un de ces buzz, comme vous dites aujourd'hui... Mais la photo suivante n'était qu'un canular ! Un faux !

Emma et moi avons échangé un nouveau coup d'œil. Nous le savions déjà, mais Arthur MacDougall aimait tellement raconter cette histoire.

– Un canular ? avons-nous répété en chœur.

Il n'y a vu que du feu.

– Eh oui ! *Such a shame*[1] ! En 1934, le 21 avril précisément, le *Daily Mail* a publié une photo prise par le Dr Wilson : on voit une espèce de créature à long cou qui serpente dans l'eau...

Il a prononcé « sssssserpente », dramatisant le mot avec bonheur.

– Au bout de son cou, une petite tête ridicule ! Cette image a fait le tour du monde ! Mais, plus de trente ans plus tard, ce coquin de Wilson a avoué qu'il s'agissait d'un montage : un sous-marin jouet équipé d'une tête sculptée de dinosaure. Lamentable. Il a bien réussi son coup, celui-là...

– Un certain Hugh Gray est également devenu célèbre grâce à Nessie, a poursuivi Granny. C'est lui qui, pour la toute première fois, l'a photographiée en 1933...

– Le premier buzz dont je parlais, l'a interrompue Grand-Dad.

---

1. Quelle honte !

J'ai senti qu'Emma me regardait mais je l'ai ignorée. On aurait sans doute eu envie de sourire. Un mot aussi moderne, dans la bouche de notre grand-père, ça faisait drôle. Mais il était on ne peut plus sérieux, et dans ce cas, hors de question de le distraire.

– Cette photo a été publiée dans le *Daily Express*, et elle est aussi connue que celle de Wilson ! a-t-il poursuivi. On l'a examinée, scrutée, analysée pour savoir si elle était vraie ou fausse. Il y en a qui ont dit qu'en réalité, on y voyait un labrador jouant dans l'eau...

– Un ancêtre de Nooty ? a plaisanté Emma.

– Nessie et Nooty sont dans un bateau..., ai-je commencé.

Mais Grand-Dad a immédiatement froncé les sourcils.

– On ne rigole pas avec An Niseag ! Même si c'est un cryptide !

An Niseag. Le nom gaélique de Nessie.

– Un cryptide est une créature réelle mais irréelle en même temps, a énoncé Emma, peut-être pour faire pardonner notre maladresse.

– C'est une créature qui existe peut-être, qu'on a cru voir, mais dont on ne peut pas prouver l'existence de façon scientifique, ai-je renchéri. Les photos ne suffisent pas.

– Donc elle est irréelle, a insisté Emma.

– Pour Constance Whyte, et tous ceux qui ont cherché ensuite, Nessie existe, a répliqué Granny. Au moins... dans notre tête !

Grand-Dad s'est tapoté le front.

– C'est sûr. Dans notre esprit. Même si on ne trouve jamais rien, on continue à y croire. Mais ce n'est pas faute d'avoir cherché. En 1934, il y a eu l'expédition de sir Edward Mountain. C'était un assureur, riche, très riche... Avec l'aide d'un certain capitaine James Fraser, ils ont exploré l'eau du lac pendant un mois avec les moyens de l'époque et...

– Mais tu étais trop petit, toi, pour participer à ces recherches ? l'ai-je interrompu.

Il a souri.

– Beaucoup trop petit. J'avais à peine un an ! C'est lorsque j'ai travaillé avec le Bureau que j'ai découvert ce que cet homme a accompli, sa passion et son acharnement.

– Le Bureau d'enquête sur les phénomènes du loch Ness, a rappelé Emma, comme si on ne le savait pas. Alias le *Bu-en-phé-loch*.

J'ai levé les yeux au ciel. Encore un mot inventé.

– Ne te moque pas, ai-je prévenu, anticipant la réaction de Grand-Dad.

Contre toute attente, il n'a pas bronché, mais a fini son thé d'un air préoccupé. Puis il a pris son téléphone portable et saisi une adresse Internet avant de nous montrer l'écran. On apercevait le loch Ness filmé depuis un satellite.

– Si on avait eu ce genre d'outil autrefois, on aurait sûrement identifié notre cryptide !

– Qui n'en serait plus un, précisa Granny.

– Évidemment. Quand je pense qu'en ce moment, chaque mois, il y a plus de deux cent mille recherches en ligne à propos du « monstre du loch Ness » ! s'est exclamé Grand-Dad en consultant la page qui s'affichait. C'est incroyable...

Il nous a regardés à tour de rôle.

– Le monde entier traque de nouveau Nessie ! Tout ça parce que, le 21 avril dernier, on a fêté les quatre-vingt-un ans de sa première photo, celle que ce Wilson a signée et qui était fausse. Encore une fois, les conséquences seront...

Et sans finir sa phrase, il s'est levé et a quitté la pièce.

Chapitre 4

L'expédition

La lettre est arrivée le lendemain matin. Reconnaissant l'écriture sur l'enveloppe, notre grand-père l'a décachetée avec impatience. Mais il n'a pas découvert les mots qu'il avait espérés. Je les reproduis ici avec son autorisation :

Mon cher Arthur,
Depuis que nous cherchons la créature du loch Ness, nous ne nous sommes jamais découragés. C'est certainement l'animal le plus rusé qui existe sur notre planète. Sans doute s'agit-il

d'une espèce inconnue ou oubliée, voire éteinte. Pour ma part, je pense qu'elle est à la fois surnaturelle et réelle : elle vit toujours quelque part en nous, dans nos esprits, dans nos imaginaires, peut-être sur terre, peut-être dans l'eau, fort probablement dans les deux milieux.

Nous sommes plusieurs à croire qu'il s'agit d'une créature amphibie puisque des témoins l'ont déjà aperçue sur les rives du lac. Toutefois, en aurons-nous jamais la certitude ? Que d'interrogations encore...

En vérité, aujourd'hui, la pollution de l'eau est telle que, même si Nessie était toujours vivante, elle finirait par succomber. La pêche s'intensifie. Les croisières se multiplient. Comment Nessie survivrait-elle dans un environnement aussi hostile ?

Ou alors Nessie et sa famille vivent en pleine mer et, de temps en temps, l'un des membres du groupe revient nager dans le loch Ness pour nous narguer...

Toujours est-il, mon cher Arthur, que notre association a décidé de ne plus financer de recherches. J'en suis désolé. Quelques rares personnes pourront poursuivre cette quête, dans l'espoir de découvrir l'imprévu, l'extraordinaire, l'inimaginable au fond des eaux troubles du loch Ness, ce monde perdu. Il faut posséder un bateau spécialement équipé comme le tien. Ah, si seulement nous pouvions trouver des indices ! Débris d'ossements, fossiles, traces tangibles... À ce moment-là, nous réunirions sûrement de nouveau des financements pour reprendre les fouilles sous-marines. Ici, en Écosse, et ailleurs. J'espère que tu nous comprends.

> *Avec toute mon amitié,*
> *Charles D.*

Le message était clair. Notre grand-père ne devrait pas abandonner.

De toute façon, il n'en avait pas l'intention.

Néanmoins, même s'il s'était plus ou moins attendu à cette décision, quelle déception… « Dorénavant, seul l'argent compte ! » a-t-il pesté. Eh oui. Mais cela ne l'a pas empêché de poursuivre. Au contraire, je crois que ça l'a encore plus motivé.

Ce matin-là, un jeudi, il nous a parlé de l'équipe créée au début des années 1970 par l'avocat et inventeur Robert Rines. Dire qu'il en avait fait partie… La grande époque ! Soutenus par l'Académie des sciences appliquées de Boston, ils avaient utilisé des méthodes révolutionnaires pour tenter de localiser Nessie. Par exemple, ils avaient mis en place des appâts odorants.

Ça n'avait pas attiré Nessie.

Ils avaient installé, dans les parties les plus profondes du loch, des caméras reliées à de puissants projecteurs.

Ils n'avaient rien capté… Enfin, presque rien. Trois photographies… Oui, trois ! Quand même ! Sur la première, on apercevait une nageoire en forme de losange. Sur la deuxième, on distinguait un corps énorme… Et sur la troisième, une très grosse tête qui évoquait celle d'une gargouille hideuse. Ces clichés avaient fait le tour du monde. Mais certains détracteurs, les anti-Nessie, avaient critiqué le flou artistique des photos : les formes repérées auraient également pu être celles de morceaux de bois ou d'algues ! Elles ne prouvaient pas l'existence de Nessie ! Malgré tout, en 1972, Peter Scott, le naturaliste, avait décidé de baptiser la créature *Nessitera rhombopteryx*. En grec, cela signifie « la merveille du Ness à l'aileron en losange ». Une allusion directe à la photo numéro un.

– On voulait protéger Nessie... C'était notre priorité ! a répété grand-père. Mais comment protéger un animal qui ne vit peut-être que dans notre imagination ? On n'a jamais rien découvert... Rien. Ni cadavre ni fossile !

– Il faudrait réussir à l'attirer pour de bon, a suggéré Emma, comme si ça n'avait pas déjà été tenté. Par exemple avec la loutre Zatly ou Zédie... Comment elle s'appelle, déjà ?

Grand-Dad a esquissé une moue sceptique.

– Dratsie.

Puis une lueur songeuse a traversé son regard.

– Au fond, pourquoi pas ? On risquerait une bataille mortelle, mais oui, pourquoi pas...

Mortelle ?

Il s'est levé et, sans nous regarder, est parti s'enfermer dans son laboratoire. La pièce qu'on espérait découvrir un jour, mais dont la porte nous restait obstinément fermée.

– Mortelle, ton idée, ai-je dit à Emma.

– MDR !

Et elle s'est éclipsée, à son tour.

***

Ce même jeudi soir, on a embarqué à bord du *Nautilon*, l'ancien bateau de pêche que grand-père avait aménagé : sonar[1], capteurs, GPS, radar, ordinateur... Il disposait même d'un mini-sous-marin autopropulsé et filoguidé : U-Kla, un petit robot bleu que des amis chercheurs en biologie lui avaient prêté. Long d'environ cinquante centimètres, l'engin était équipé d'un sonar et d'une caméra à infrarouges.

Dans la cabine, au-dessus des différents cadrans et instruments de navigation, une coupure de presse était affichée, jaunie par le temps :

« Personne ne comprendra jamais le loch Ness.
Sa conquête sera un plus grand triomphe que celle de la Lune. »
Daily Express, *4 juillet 1961*

Par les hublots, on apercevait les ruines du château d'Urquhart, fantomatiques. La lune brillait dans le ciel couleur d'encre,

---

1. Sonar (Sound Navigation And Ranging) : appareil qui permet de détecter des objets ou animaux sous l'eau grâce aux ondes sonores.

presque pleine. On avait l'impression d'être dans un décor de cinéma.

On a quitté le petit port privé. Ancien éclusier, Grand-Dad pouvait amarrer son embarcation à l'année, dans une crique de la baie d'Urquhart, sans payer trop cher. Parfois, il emmenait des amis, sa famille aussi... Mais la plupart du temps, il naviguait seul, juste en compagnie de Nooty. Son labrador adorait être à bord. Là, il restait assis à côté de nous.

Pour manœuvrer, grand-père a mis sa belle casquette blanc et bleu. Mais, dès qu'on a atteint le milieu du lac, il me l'a donnée en m'invitant à tenir la barre. Il voulait préparer le robot U-Kla. Emma me remplacerait un peu plus tard. C'était notre rituel depuis deux ou trois ans. Ainsi, on pouvait surveiller les écrans à tour de rôle. Si jamais une forme anormale était repérée sous l'eau, on en remarquerait les ondes, les contours... La présence.

On a testé les appareils de mesure. Peu à peu, les écrans de contrôle se sont allumés. Puis on a gagné le pont.

La nuit sentait bon, un mélange de pin et de fleurs. Grand-Dad s'est penché par-dessus bord pour déposer le minirobot sur l'eau. À son extrémité, il avait accroché un appât : de la chair de poisson ainsi qu'une algue imprégnée de molécules odorantes se rapprochant, nous a-t-il expliqué, de celles d'une loutre. Carrément !

C'était donc ce nouveau leurre qu'il avait fabriqué dans son laboratoire secret.

Mon pouls s'est accéléré tandis que, malgré moi, j'imaginais un combat sanglant entre Nessie et Dratsie...

Une légère brise a soufflé et fait osciller l'engin. Au même instant, à quelques mètres de nous, une ombre a surgi, sur l'eau...

Et Emma a poussé un cri.

Chapitre 5

Pas de cadavre...

Le robot est tombé dans l'eau.

L'ombre s'est volatilisée.

Déséquilibré, Grand-Dad a vacillé et on s'est précipités pour le retenir. On l'a attrapé vigoureusement chacun par le bras.

– C'était quoi ? a-t-il soufflé. Vous avez vu ?

– Oui, une chose noire..., a balbutié Emma.

– C'était bizarre, ai-je avoué, pas rassuré non plus.

– Mais il ne fallait pas crier, a grommelé grand-père. Si c'était Nessie, on l'a fait fuir !

Il s'est redressé et, sans nous remercier de l'avoir empêché de basculer par-dessus bord, a regagné la cabine.

On lui a emboîté le pas, accueillis par Nooty qui secouait joyeusement la queue. Ce labrador est toujours content, *lui*.

– Tu crois vraiment qu'on peut faire peur à un monstre ? a demandé Emma en se ressaisissant.

– Nessie n'est pas un monstre, ai-je répliqué. C'est un cryptide. Et, si vous voulez mon avis, je doute qu'elle puisse surgir aussi vite, comme par hasard, pile au moment où on est là. Il devait y avoir des gens dans les parages.

– Nessie me connaît. Depuis le temps, on est amis, elle et moi, a ajouté Grand-Dad. Maintenant, taisez-vous et pensez fort à elle, très fort...

Il s'est assis, et on est restés silencieux, conscients de l'importance de ce moment. À chaque fois, on ressentait cette même impression... Celle d'être en train de vivre une expérience hors du commun. On s'apprêtait peut-être à faire une découverte extraordinaire qui changerait la face du monde.

Un bip-bip retentissait régulièrement, presque synchrone avec les battements de nos cœurs. C'était le sonar qui « écoutait » le lac, captait les sons qui se propageaient sous l'eau et les analysait grâce à un traitement informatique. Des lignes et stries bleues se dessinaient sur l'écran, ondulant en rythme avec les ondes sonores enregistrées.

– Les enfants, voulez-vous savoir pourquoi on n'a jamais retrouvé de cadavre ni de fossile ? a lancé notre grand-père, retrouvant son entrain.

– Peut-être parce que Nessie n'a jamais existé, a répondu Emma. Mais nous, on sait que c'est faux.

– On ne sait rien, ma chérie. Malheureusement, a poursuivi Grand-Dad. Autre possibilité : Nessie est invertébrée ! Dans ce cas, comment retrouver de la matière fossilisée, hmmm ?

– Tu veux dire : si elle était une sorte de mollusque géant dont le corps se serait dissous dans l'eau ? ai-je demandé.

– Par exemple. On peut aussi supposer que Nessie vit dans la mer et ne vient par chez nous que quand il veut, a-t-il marmonné. Vraiment quand il veut ! Je dis « il » parce qu'en ce moment, et je ne sais pas pourquoi, je crois que c'est un mâle.

J'ai réprimé un sourire. Pour lui, une fois sur deux, c'était une femelle. Il changeait régulièrement d'avis.

– Il passerait par le fleuve Ness ? Alors que le loch est au moins dix mètres au-dessus de la mer ? ai-je rappelé. Ce serait bizarre...

– En nageant, c'est très facile d'arriver jusqu'ici, a-t-il rétorqué.

À cet instant, un bruit sourd a retenti. Le radar s'est affolé, de même que les graphiques du sonar. Seul l'écran censé représenter les enregistrements du robot U-Kla demeurait figé.

Puis notre bateau s'est mis à tanguer et tanguer...

Le visage crispé, grand-père s'est précipité sur le pont, et nous l'avons suivi, le cœur battant. Emma m'a attrapé par la

.t peur. Moi aussi, mais j'ai essayé de ne pas le

⌐yait furieusement en fixant quelque chose par-dessus bord. Grand-Dad a regardé...

Et tapé du poing sur le bastingage.

– Bon sang ! Qu'est-ce que vous fabriquez ici ? a-t-il rugi. Vous avez un permis, au moins ? Une autorisation ? À part ça, tout va bien ? Pas de mal ?

Emma et moi, on s'est rapprochés sur la pointe des pieds.

Un canot pneumatique s'éloignait rapidement avec, à son bord, deux personnes qui pagayaient énergiquement. Leurs lampes frontales dessinaient des halos de lumière dans le noir.

Voilà qui expliquait l'ombre un peu plus tôt... Ils ne devaient pas être bien loin à ce moment-là.

Sans doute.

– S'ils ne répondent pas, c'est que ça va... Ils ont foncé sur nous, ces imbéciles, a marmonné Grand-Dad. J'imagine qu'ils cherchent Nessie, eux aussi. J'espère qu'ils n'ont pas perturbé la trajectoire d'U-Kla !

On n'a pas osé lui dire que, depuis la mise à l'eau du robot équipé d'un appât, on n'en avait reçu aucune nouvelle. Il le savait forcément.

– Bon, heureusement, il n'y a pas eu de dégâts ni de blessés, a-t-il ajouté. Ça arrive plus souvent qu'il ne le faudrait, ce genre de collisions en plein milieu du loch… Pourtant, il y a de la place, hein ? Mais allez savoir pourquoi, on se heurte. Bref !

On est redescendus, et Grand-Dad a servi du chocolat chaud, conservé dans une bouteille Thermos. Attablés dans le carré, Nooty à nos pieds, on a bavardé de tout, de rien, et surtout pas de ce qui venait de se produire. Grand-père se serait encore énervé. Ensuite, comme s'il voulait se changer les idées, il nous a parlé de l'opération Deepscan : l'expédition la plus impressionnante à laquelle il avait participé pour tenter de trouver Nessie. Jusqu'à présent, il avait affirmé qu'on était trop jeunes pour comprendre l'enjeu d'une telle expérience. On n'avait pas voulu le contredire, donc on avait regardé sur Internet : les photos, les commentaires… Ça ne nous avait pas passionnés. Mais, quand Grand-Dad nous l'a racontée, on a évidemment ressenti une tout autre impression.

– C'était en 1987, avec Adrian Shine, et je vous garantis que le monde entier en a entendu parler ! Imaginez une vingtaine de bateaux équipés de sonars ultra-sophistiqués… Et on a sillonné le loch dans tous les sens. On a couvert près de 60 % de la superficie… Bon, on a repéré quelque chose à cent quatre-vingts mètres de fond, mais on n'a jamais su de quoi il s'agissait !

Grand-Dad a de nouveau contemplé les écrans de la cabine. Rien ne bougeait. Il a esquissé une moue et ajouté :

– Adrian Shine continue toujours à chercher. Comme moi. Mais d'après ce que j'ai entendu dire, il pense maintenant que

Nessie est une sorte d'esturgeon de la mer Baltique : un poisson qui peut mesurer jusqu'à cinq mètres et peser plus de trois cent soixante kilos ! Son corps est recouvert d'épaisses plaques osseuses, un véritable bouclier... Et il peut vivre plus de cent ans.

– Cent ans ? Si longtemps ? s'est exclamée Emma. C'est un *cryptpresquéternel* !

Grand-Dad a souri, amusé par ce nouveau mot inventé par ma sœur.

– Une loutre, un esturgeon, un *cryptpresquéternel*..., ai-je énuméré. En fait, on ne saura jamais.

– Jamais ? a répété notre grand-père. Dans un sens, je préfère ce flou. Mais les gens veulent des preuves et toujours des preuves ! Du coup, en 2003, la BBC[1] a sponsorisé une gigantesque campagne de recherches avec six cents sonars et un système de GPS d'une telle précision qu'il pouvait même détecter une petite bouée à la surface du loch ! Malheureusement, rien n'a été repéré. Rien du tout. Alors, les scientifiques qui participaient à cette mission ont décidé que Nessie était un mythe. Fin de l'histoire.

– Mais pas pour toi, Grand-Dad, ai-je fait remarquer.

– Non, bien sûr. Ni pour mes amis de l'association... Notre intuition nous souffle que Nessie et les siens sont en chair, peut-être pas en chair et en os, mais en chair...

Je n'ai pas pu m'empêcher de rire. Emma a grimacé.

---

1. BBC : British Broadcasting Corporation (ensemble de chaînes télévisées britanniques).

– ... et qu'un jour, on se retrouvera nez à nez avec lui... Ou elle. Nessie ne se manifeste que lorsque tout est calme.

Le silence s'est établi quelques instants. Les yeux rivés sur les différents écrans, j'espérais apercevoir des vagues, un zigzag, un tracé indiquant une présence sous l'eau... Mais tout demeurait désespérément immobile.

Et U-Kla n'émettait toujours aucun signal. Pas d'image, à la rigueur, cela aurait pu être normal. Les profondeurs du lac étaient si sombres... Mais pas le moindre clignotement ?

Ce n'est qu'au bout de vingt minutes qu'on a su, avec certitude, que quelque chose clochait.

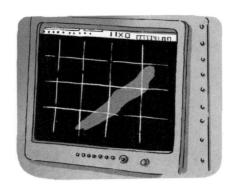

Chapitre 6

Encore une apparition ?

Je me souviens de la colère de grand-père quand il a compris.

Je me souviens que nous avons vraiment eu du mal à le calmer.

Je me souviens des aboiements de Nooty ce soir-là... Qu'avait-il senti ?

Je me souviens du cauchemar que j'ai fait ensuite. Deux monstres se bagarraient dans l'eau, les dents acérées, les yeux rouges et luisants. Leurs nageoires gigantesques créaient des vagues de plus en plus hautes...

Et ces vagues sont devenues un raz-de-marée engloutissant peu à peu le village.

Je me suis réveillé dans mon lit, en nage.

***

– Il n'est plus là ! Je vous dis qu'il n'est plus là ! Et il ne m'appartenait même pas ! Mes amis de l'association seront furieux...

– Mais on va le retrouver ! a affirmé Emma.

– Et comment ? Le loch est immense, et on n'y voit rien, a ajouté Grand-Dad, les mains crispées sur la barre du *Nautilon*. Et puis c'est sûrement trop tard... et un signe. Oui, c'est un signe, a-t-il murmuré sans nous regarder. Abandonner ? Il faudrait abandonner ? Non, non, non. Nessie va entendre parler de moi !

Je n'ai pas soufflé mot. Par moments, Arthur MacDougall m'effrayait un peu.

Le robot avait donc disparu. À cause du mystérieux canot pneumatique qui avait heurté la coque de notre bateau ? Du coup de vent au moment où Grand-Dad l'avait mis à l'eau ? Nous l'avait-on volé ? Qui savait que notre grand-père possédait ce précieux appareil si bien équipé ?

On a navigué lentement du nord au sud, d'est en ouest, scrutant partout, mais dans la nuit, comment faire ? Même avec les puissantes lampes-torches que nous avions à bord, impossible de repérer l'engin. L'écran censé y être connecté restait muet.

Bientôt, il a fallu se rendre à l'évidence.

On est rentrés en silence. Cette expédition s'avérait doublement décevante. Non seulement on n'avait rien vu, mais en plus on avait perdu U-Kla.

En l'apprenant, Granny, qui nous attendait de pied ferme, a levé les yeux au ciel.

– Quelle idée de partir en plein mois d'août, quand tant de monde s'intéresse à Nessie ! Vous savez bien que le journal a lancé un concours ! Le lauréat de la meilleure photographie remportera un prix élevé. De quoi s'offrir de belles vacances au soleil, aux Bermudes ou je ne sais où !

– Aux Bermudes ? ai-je répété. Là où des centaines d'avions et de bateaux se sont volatilisés sans laisser la moindre trace ? En ce qui me concerne, jamais de la vie !

Je n'ai pas ajouté qu'un de mes meilleurs amis, Mattéo, avait passé des vacances dans cet endroit paradisiaque, et qu'il avait peut-être découvert l'explication de ces mystérieuses disparitions[1]. Je rêvais d'en faire autant avec « notre » monstre du loch Ness ! Sauf que, si même mon propre grand-père baissait les bras, c'était décourageant.

Il est parti se coucher sans nous dire bonne nuit, l'air triste. Alors, un peu plus tard, Emma et moi avons pris la meilleure décision de ces vacances...

Ou la pire.

∗∗∗

---

1. Voir *Le mystère du triangle des Bermudes*, dans la même collection.

On a tout préparé dans le plus grand secret, et on s'est retrouvés à 5 heures du matin, dans la cuisine, pour rassembler quelques provisions. On a mis du fromage, du pain et une bouteille d'eau dans notre sac à dos, et on a filé.

Direction : le petit hangar au bord de l'eau, à côté du ponton où le *Nautilon* était amarré. Une vieille barque se trouvait à côté. Petits, nous l'avions souvent utilisée pour faire des tours dans la baie. On a grimpé à l'intérieur, on s'est assis, j'ai empoigné les rames et on est partis.

On n'avait pas prononcé un mot. Dans une atmosphère bleutée, le soleil se levait à peine derrière les montagnes à l'est. La surface du lac, lisse comme une fine couche de glace, ondoyait à peine tandis que nous pagayions. L'eau dégageait à la fois une odeur fraîche et une impression curieuse de lourdeur, de densité inhabituelle. Les ruines du château d'Urquhart ne s'y reflétaient même pas. À cause du manque de luminosité ? Non, plutôt parce que nous ne pouvions rien voir là où nous étions, rien sauf la tour du donjon qui se détachait sur le ciel clair, sombre et massive.

Emma m'a adressé un semblant de sourire.

– Dis, on aurait peut-être dû prévenir Granny...

– C'est trop tard, ai-je tranché. Mais de toute façon, il ne nous arrivera rien.

– J'espère...

– Tu veux que je te ramène ? Si tu as la trouille...

– Ça ne va pas, non ?

On chuchotait. On ne voulait pas être repérés. En même temps, on devait être visible de n'importe quel endroit sur le rivage ! Mais, à cette heure si matinale, on était seuls au milieu de l'immensité du loch Ness. Une légère brise soufflait.

Notre objectif était double. Essayer de retrouver U-Kla...

Et tenter d'apercevoir ce que nous rêvions tant de voir.

On a ramé à tour de rôle pendant une vingtaine de minutes le long de la rive ouest, scrutant l'eau. On avait chacun une paire de jumelles.

À un moment, on a senti notre embarcation bouger fortement et, si je n'avais pas maintenu le rythme, on aurait presque été propulsés dans le sens opposé. Oui, vous avez bien lu. On serait partis à l'envers par rapport au vent et au courant normal vers le fleuve Ness. En cours de SVT, on avait étudié ce curieux phénomène typique de ce loch. Sa forme très étroite et ses grandes profondeurs expliquent probablement ces inversions subites du flot.

– Waouh, c'est bizarre, a dit Emma, un peu pâle.

« On aurait quand même dû enfiler des gilets de sauvetage », ai-je songé. Tant pis. On n'allait pas faire demi-tour.

De toute façon, quelques mètres plus loin, l'eau est redevenue plus calme, et ma sœur a repris les rames.

J'ai observé attentivement les alentours, réglant au maximum les jumelles, puis regardant à l'œil nu. Combien de chances avait-on de découvrir le robot en train de flotter ? Une sur mille ?

Une sur dix mille ? C'était comme chercher une aiguille dans une botte de foin. Malgré tout, on a poursuivi, nous limitant quand même au périmètre que nous avions exploré la veille au soir : une partie de la baie d'Urquhart.

Sauf que le courant a de nouveau changé brusquement. Puis, soudain, à une centaine de mètres, s'est profilée une longue forme noire surmontée d'une bosse arrondie...

Elle filait vers le nord...

Vers le fleuve Ness et la mer.

– Hé, tu as vu ? s'est écriée Emma.

Impossible de répondre. C'était trop beau, trop fou pour être vrai. Le cœur battant, j'ai sorti mon téléphone et actionné l'enregistrement vidéo. Mes mains tremblaient. Dans le viseur, j'apercevais nettement la silhouette. Comme je me redressais pour mieux filmer, la barque s'est de nouveau mise à tanguer.

– Attention ! a lancé Emma.

Mais j'ai continué, concentré, certain que, cette fois, c'était *ça*.

Une gerbe d'écume m'a alors aspergé violemment. Emma a crié, j'ai lâché l'appareil... et je suis tombé à l'eau.

Chapitre 7

L'épreuve

Le choc thermique m'a coupé le souffle, et j'ai coulé, comme lesté de plomb. L'eau était glaciale. Mes oreilles ont bourdonné, et la peur m'a envahi, se muant en terreur au fil des secondes. Autour de moi, tout était verdâtre et sombre. J'allais étouffer, perdre pied, disparaître à jamais.

N'y pense pas...

En me débattant, j'ai nagé jusqu'à la surface, yeux fermés, à l'aveuglette, avec des gestes mécaniques.

N'y pense pas !

La phrase, comme une injonction, un ordre, tourbillonnait dans mon esprit. Surtout, ne pas imaginer le *kelpie* qui, peut-être, me guettait, prêt à m'avaler, à m'engloutir, parce que je m'étais montré imprudent. Je l'avais bravé. Si je l'ignorais ou, mieux encore, si je l'oubliais, il ne se manifesterait pas et me laisserait la vie sauve.

J'ai émergé des profondeurs du loch et inspiré à pleins poumons. À travers ma vision brouillée, j'ai repéré Emma. Elle me tendait la main. Le bateau ne se trouvait pas loin.

– Mickaël! sanglotait-elle. Viens!

Je me suis lancé dans une brasse énergique. Et si la créature maléfique fonçait quand même sur moi? Sur nous? C'était peut-être *ça* qu'on avait vu. Pas Nessie.

Attrapant les doigts gelés d'Emma, je me suis hissé à bord. Je claquais des dents, abasourdi, honteux. Emma et moi, on s'est regardés sans un mot pendant un court instant.

– Ça va?

– À ton avis? Mon té... téléphone?

– Dans ma poche, a-t-elle indiqué.

Elle s'est mise à ramer vers le port aussi vite que possible, mais j'ai insisté pour la remplacer. Mes vêtements dégoulinants collaient à ma peau. Actionner les rames avec rage m'a réchauffé et aidé à me ressaisir.

– C'était quoi? a demandé Emma, alors qu'on se rapprochait du rivage.

On avait été plus rapides qu'à l'aller.

– Aucune idée. On regardera la vidéo.

Emma a sorti le smartphone et pressé une touche.

– Hum... Il y aura aussi un gros plan sur le fond de ma poche. L'enregistrement continuait !

– C'est malin...

– Ce n'est pas grave, on coupera.

– Oui, on coupera, ai-je répété machinalement.

Je me suis retourné. Ce que nous avions aperçu avait disparu. Le lac était de nouveau lisse. Comme si rien ne s'était passé... Rien du tout.

∗∗

Quand Grand-Dad et Granny nous ont rejoints dans la cuisine, je venais de prendre une douche bien chaude. Emma avait rangé la nourriture que nous avions emportée – on n'y avait pas touché –, et préparé un petit-déjeuner : pain, lait, confiture mais aussi fromage, jambon... On mourait de faim.

– Vous êtes déjà debout ? s'est étonnée Granny en nous embrassant. Et quel festin ! a-t-elle ajouté en découvrant nos assiettes. Bon appétit !

– Merci, Granny, avons-nous répondu en chœur, comme deux enfants bien sages.

Notre grand-père nous a observés quelques instants, puis il a hoché la tête en ébauchant un drôle de sourire.

Je lui ai tendu mon téléphone.

– Regarde...

En fond d'écran, j'avais affiché « la chose ». Il a écarquillé les yeux et, de nouveau, souri.

– Classique.

– Comment ça, « classique » ?

– Tu as filmé un tronc d'arbre. Ce n'était pas la peine de boire la tasse pour ça.

J'ai échangé un coup d'œil surpris avec Emma.

– Tu es au courant ? ai-je demandé.

– Mickaël... Qu'est-ce que tu crois ? J'étais réveillé. Nessie m'a empêché de dormir, une fois de plus.

Granny a esquissé une moue désapprobatrice.

– Je vais finir par être jalouse, moi !

– Papy Arthur s'intéresse plus à un cryptide qu'à toi ? a plaisanté Emma.

Papy Arthur... Il n'aimait pas qu'on l'appelle ainsi. D'ailleurs, notre grand-père a froncé les sourcils, mais s'est abstenu de tout commentaire. Il a allumé la cafetière et sorti deux bols. Granny a cuisiné des œufs au bacon, et une appétissante odeur a bientôt flotté dans la pièce. Je me suis senti beaucoup mieux, tout à coup. Rassuré. Tout allait bien, même si je venais de courir un vrai grand danger. Et mes grands-parents ne s'étaient pas fâchés.

– Je vous ai déjà parlé de Robert Craig ? a demandé Grand-Dad en s'asseyant en face de nous.

– Non, ai-je répondu.

– On n'a jamais entendu parler de lui, a ajouté Emma.

– C'est un ingénieur. Le premier à avoir établi la théorie des pins.

– Des pins ? ai-je répété, incrédule.

– Pas du « pain », est intervenue Granny en faisant griller quatre tranches en même temps.

– Elizabeth *darling*, voyons ! C'est une évidence, a repris grand-père.

Mais une lueur amusée brillait dans ses yeux. Il était de meilleure humeur que la veille !

Après s'être servi du café, il a poursuivi :

– Le loch Ness est très profond. Et il est bordé de vieilles forêts de *Pinus sylvestris*. À cause de la pluie, du vent, de coupes sauvages, que sais-je encore, des branches plus ou moins grosses et parfois des troncs tombent à l'eau. Le bois gonfle et coule. Sous la surface, il y a beaucoup de pression...

Granny a poursuivi :

– Le pin a des composants qui l'empêchent d'éclater : la résine, le gaz phrénique... Mais au fil du temps, du gaz se forme à l'intérieur du tronc immergé, vous comprenez ?

– Et ça crée des sortes de bulles d'air à l'intérieur du bois, a renchéri grand-père. Du coup, le tronc remonte en expulsant du gaz !

– Comme des prouts, a observé Emma.

J'ai éclaté de rire mais nos grands-parents ont acquiescé d'un air sérieux.

– Exactement. Le tronc se vide. Alors, il redevient plus lourd que l'eau et coule de nouveau, a conclu Grand-Dad.

Il a avalé une gorgée de café et beurré sa tartine. Une expression soucieuse est apparue sur son visage.

– Beaucoup de scientifiques pensent que ce qu'on aperçoit – ces formes, ces bosses, ces ombres... –, ce sont des troncs. C'est pour cette raison, entre autres, que mon association a cessé de financer des recherches.

– Nessie serait un tronc d'arbre ? Désolé, j'ai du mal à y croire, ai-je avoué. Ce n'est pas un tronc qu'on a filmé tout à l'heure, pas vrai, Emma ?

Granny nous a observés avec effarement.

– Pardon ? *Tout à l'heure* ? Je n'avais pas compris ! Vous... vous êtes inconscients ou quoi ?

Grand-Dad, lui, a soupiré. Plus indulgent ? Sûrement. On tenait de lui, pas vrai ? Cette envie de savoir, de résoudre un mystère...

On a échangé un rapide coup d'œil, Emma et moi. Puis on a raconté notre mésaventure.

– En fait, on espérait retrouver U-Kla, ai-je précisé sans avouer à quel point j'avais eu peur.

Notre grand-père est resté silencieux quelques instants, hésitant sans doute entre deux options : nous disputer parce que nous avions couru un risque inutile, ou nous féliciter.

On n'avait jamais pu imaginer ce qu'il nous a répondu alors...

Chapitre 8

Premiers indices ?

Mordu. Mâché.

Écrabouillé.

Voilà dans quel état son ami Jo lui avait rapporté le minirobot très tôt ce matin. À l'aube. Voilà pourquoi Grand-Dad nous avait vus partir. Il était debout...

Jo pêchait le saumon à quelques kilomètres au nord de la baie d'Urquhart lorsqu'il avait remarqué un objet bleu flottant non loin. Croyant qu'il s'agissait d'un détritus, il l'avait récupéré et, à sa grande surprise, avait reconnu l'engin utilisé par grand-père Arthur. Un jouet coûteux, à ses yeux.

Grand-Dad nous l'a montré. On voyait des traces de dents sur le pourtour de la petite coque. Une partie avait été déchiquetée.

– Mes camarades de l'association seront vraiment furieux, a-t-il marmonné. C'est la première fois qu'une pareille chose arrive. Mais...

Ses yeux ont brillé.

– Mon appât aurait-il fonctionné? L'odeur de Dratsie, enfin, similaire à celle de Dratsie la loutre, eh bien, ça a énervé Nessie et...

– On pourrait faire analyser les indentations, a interrompu Granny d'une voix douce.

Du coup, elle en oubliait de se mettre en colère contre nous! *Merci Nessie.*

– Au cas où il y aurait des traces d'ADN, a-t-elle ajouté.

– Elizabeth *darling*, U-Kla est resté longtemps dans l'eau! Tout a été inévitablement effacé et noyé! a répondu grand-père.

– Peut-être pas, a alors répliqué Emma. En cours de sciences physiques, on nous a parlé de nouvelles méthodes d'enquêtes sous-marines.

– En sciences physiques? me suis-je étonné.

– Oui, M. Adams est génial. Il s'intéresse à tout! Il nous a appris qu'aujourd'hui, on peut retrouver des empreintes génétiques sur un corps ou un objet même après une immersion prolongée, a-t-elle expliqué.

– Une immersion prolongée ? a répété Grand-Dad, perplexe.

Puis une étincelle a traversé son regard.

– Ça voudrait dire qu'on pourrait essayer d'identifier quel animal a gobé l'appât d'U-Kla ? Oh, oh, ce serait extraordinaire ! Le premier véritable indice depuis qu'on recherche Nessie !

– Si le professeur d'Emma a raison, a souligné Granny. Téléphone donc à la gendarmerie, et nous serons fixés.

Grand-père Arthur a aussitôt obtempéré... Et à son sourire radieux quelques instants plus tard, on a compris que la réponse était positive.

Il a placé les précieux débris du mini-sous-marin dans une boîte afin de les protéger. Puis, sans finir son petit-déjeuner, il a filé rendre visite aux gendarmes de Drumnadrochit.

∗∗∗

Notre enregistrement s'est avéré décevant. On voyait surtout les cheveux d'Emma, le fond de sa poche... Et l'eau du lac, quand même, l'eau ombrée d'une longue forme noire. Effectivement, on visualisait une sorte de tronc d'arbre...

Mais aussi autre chose. Peut-être le cryptide qui avait croqué U-Kla !

Emma a voulu qu'on sélectionne quelques images à partir de la vidéo pour les envoyer à la rédaction de l'*Inverness Courier*. J'ai approuvé.

– Bonne idée. Au moins, on participera au grand concours de l'été !

– Comment ça, « on » ? a-t-elle répliqué. C'est moi qui me suis inscrite, pas toi !

– Oui, mais moi, j'ai filmé !

« À mes risques et périls », aurais-je pu ajouter.

– Partagez, les enfants, partagez ! est intervenue notre grand-mère. Soyez solidaires ! De toute façon, si Emma gagne, c'est toute la famille qui gagne, n'est-ce pas ?

Emma a froncé les sourcils, balbutié un « euh, je ne sais pas... », et s'est finalement tue.

Un peu plus tard dans la matinée, Grand-Dad nous a montré, sur son ordinateur, un court film en noir et blanc réalisé en 1960 par un certain Tim Dinsdale. On apercevait, nageant dans le loch Ness, une silhouette qui ressemblait beaucoup à ce que nous avions cru repérer ce jour-là. Devenu célèbre dans le monde entier, Tim Dinsdale avait alors abandonné sa carrière dans l'aéronautique pour se consacrer totalement à la recherche de Nessie ! Ce qu'il avait aperçu dans les profondeurs du lac l'avait complètement chamboulé. Un groupe de scientifiques avait étudié les images qu'il avait tournées. Verdict : ce que Dinsdale avait vu était bel et bien une créature inconnue.

– Sauf que, récemment, les techniques informatiques, surtout le séquençage numérique et les zooms, ont permis d'autres analyses du film de Dinsdale, nous a confié Grand-Dad. Aujourd'hui, on estime qu'il a filmé une coque de bateau renversée! Bon, lui, il n'a voulu tromper personne, contrairement au Dr Wilson et sa fausse photo...

– Un bateau? a répété Emma d'un ton déçu. Comment peut-on confondre Nessie avec un bateau?

– Ou un tronc...

J'ai haussé les épaules.

– Moi, je sais que j'ai vu quelque chose de vivant. Ce n'était pas un arbre mort.

Grand-père a souri.

– Tu n'es pas le seul à être persuadé que Nessie existe... Moi-même, je le suis! Mais beaucoup de gens sont aussi convaincus que Nessie rime avec supercherie...

Loch Ness – April 23. 1960

Chapitre 9

Une des clés de l'énigme ?

Le lendemain, il s'est mis à pleuvoir. Ciel gris, temps humide...
Le retour du vrai temps estival en Écosse ! Mais on était habi-
tués, Emma et moi. On a donc passé la journée dans la salle
de jeux où, peu à peu, les écrans avaient remplacé les jouets
de notre enfance, rangés dans une malle. Tant qu'on lisait au
moins deux heures par jour, nos grands-parents nous lais-
saient utiliser ordinateurs et consoles comme on voulait. Cool.
Mais on n'abusait pas. On aimait être dehors... Quand c'était
possible.

Ce jour-là, on a joué, on a parcouru quelques bandes dessinées, et on s'est reposés. Je me suis allongé sur le canapé fleuri, adossé à des coussins tout aussi fleuris. Granny adore les motifs de ce genre, et au final, on a l'impression d'être dans une bonbonnière : tout est rose, bleu pâle, violet... C'est cosy ; douillet. La pluie battait les carreaux, et pour rien au monde je n'aurais mis le nez dehors ! Même Nessie ne m'aurait pas fait sortir, c'est dire.

Néanmoins, j'y pensais régulièrement. Le laboratoire d'analyses devait être en train de passer au crible les échantillons recueillis sur les restes d'U-Kla. Grand-Dad était surexcité, il les appelait toutes les trois heures... Granny essayait vainement de le calmer. Elle a préparé des lasagnes, un pudding, un crumble aux pommes, et même des brownies. Gourmand, notre grand-père se régalait et finissait en général par s'octroyer une sieste. Je ne suis pas sûr que, cette fois-là, le stratagème ait fonctionné. En revanche, nous, on a trop mangé !

Résultat, en début d'après-midi, Emma, elle, est partie dormir un peu. De mon côté, confortablement installé dans le salon, j'ai regardé la télévision. Comme il n'y avait strictement rien d'intéressant, j'ai ouvert un volumineux livre de jeux appartenant à nos grands-parents.

Et ça m'a amusé. J'ai essayé de résoudre des lettres en rébus, des charades, des problèmes, des anagrammes...

Comment en suis-je venu à tenter ce que j'ai fait ensuite ? Mystère. L'intuition, sans doute. J'ai pris une feuille de papier, un stylo, et j'ai écrit *Nessitera rhombopteryx*. L'appellation scientifique de Nessie. Puis j'ai commencé à chercher tous les mots, en français et en anglais, contenus dans ce nom-là. J'ai trouvé : « Site », « Ness », « Terre », « Mot », « Moss » (mousse), « Home », « Monster », « Monstre », « Hoax »...

Monster hoax ?

Ce qui en français signifie « blague monstre » ou « énorme canular ».

Au début, je n'y ai pas cru. Mais les lettres ne mentent pas, n'est-ce pas ? Alors, j'ai continué à chercher. Et au bout d'environ une heure, peut-être plus, je suis arrivé à : « *Monster hoax by Sir Peter S.* » Sir Peter Scott. Le naturaliste qui avait donné ce nom à Nessie... Je m'en souvenais bien car, dans ma classe, il y avait un Peter Scott. Un homonyme.

J'ai couru retrouver Emma mais elle était toujours profondément endormie. Alors je suis allé frapper à la porte du bureau de grand-père. Calé dans son fauteuil, il lisait le journal, l'air tranquille, mais, dès qu'il a posé le regard sur moi, j'ai su que son calme n'était qu'apparent.

– Oui, Mickaël ?

– J'ai une question...

Et je lui ai montré ma trouvaille.

– Hum... Voilà qui est très intéressant, a-t-il admis. Un instant, je vais appeler un ami du Bureau d'enquête.

Il a pris son téléphone portable et composé un numéro qu'il connaissait visiblement par cœur.

– Mark ? Ici Arthur, a-t-il déclaré. Tu as une minute ? Non, ça ne concerne pas l'analyse du robot, on attend toujours les résultats. Tu aurais été le premier au courant si on les avait reçus. Écoute, figure-toi que mon petit-fils vient de déchiffrer l'anagramme, tu sais ? Oui, il est très malin...

***

... et très déçu.

Peut-être étais-je malin, oui, mais la déception cuisante que j'ai éprouvée ce jour-là, je la ressens encore aujourd'hui de manière presque aussi intense. Grand-père Arthur savait déjà que *Nessitera rhombopteryx* signifiait autre chose que « La merveille du Ness à l'aileron en losange ». Il ne nous l'avait pas dit.

Parce qu'il avait du mal à accepter cette réalité.

Il ne l'acceptait même pas du tout. Que j'aie repéré ce jeu de mots, qu'il espérait encore un peu secret, l'avait malgré tout amusé. La propre petite-fille de son ami Mark l'avait vu aussi ; avant moi.

Avec le recul, je comprends néanmoins qu'il ait préféré nous cacher cette vérité. Qui n'était peut-être que le début d'une autre énigme. Sir Peter Scott, éminent savant, ornithologue, officier de la Marine, président du World Wildlife Fund[1], cofondateur du fameux Bureau d'enquête sur les phénomènes du loch Ness, se serait-il sciemment moqué ? Mystère... D'autant qu'une autre anagramme existait dans l'appellation scientifique de Nessie, nous a expliqué Grand-Dad : *« Yes, both pix are Monsters R. »* (« Oui, les deux photos sont des monstres. ») Le « R » devait être celui de « Rines ». Robert Rines, qui avait photographié Nessie dans les années 1970. Peter Scott et Robert Rines se connaissaient, évidemment.

Lorsque Emma nous a rejoints, elle a réagi comme moi. Stupeur et incrédulité. Elle qui espérait gagner le concours lancé par le journal local ! Comment participer à un évènement auquel on ne croyait plus ?

À moins que...

En fin de journée, après avoir fouillé dans la malle contenant nos vieux jouets, on a pris la seconde décision de ces vacances, vraiment la pire cette fois...

La pire, oui, mais aussi la plus drôle. Devinez-vous laquelle ?

---

1. WWF : Fonds mondial pour la nature (dont l'emblème est un panda).

Épilogue

D'accord, je l'avoue, nous aussi, on a mis Nessie en scène. On a récupéré un diplodocus, en tissu de couleur kaki, dont on a juste gardé la tête et le cou. On les a fixés avec du gros Scotch sur un petit bateau en plastique qu'on est allés faire flotter sous la pluie ce jour-là...

Et on a filmé. Et on a ri aux éclats.

Et on a envoyé les images au journal. Anonymement.

D'accord, je l'avoue, ensuite, on n'a pas été fiers, mais je suis sûr qu'on n'a pas été les seuls ! En apprenant la farce qu'on avait faite, nos grands-parents ont été indignés. Ils l'ont su parce qu'ils ont retrouvé le corps du jouet dans la poubelle. Il a fallu qu'on présente nos excuses à la rédaction de l'*Inverness Courier* et qu'on promette de ne plus recommencer.

– Chercher Nessie est une affaire sérieuse ! a martelé Grand-Dad. Vous avez oublié que des scientifiques sont en train d'analyser les traces d'ADN sur le robot ?

Sauf qu'on attend toujours les résultats... En tout cas, grand-père Arthur ne nous en a plus jamais reparlé.

Comme des milliers, que dis-je, des millions de personnes dans le monde, je me demande toujours qui est, ou a été, Nessie. On a raconté qu'il s'agissait d'une otarie à long cou géante, d'un immense esturgeon de la mer Baltique, d'un plésiosaure, d'une gigantesque limace ou anguille ou loutre... Et même d'un éléphant dont on n'aurait aperçu que la trompe.

La théorie de l'otarie a été émise dès 1965 par Bernard Heuvelmans, zoologue et cryptozoologue : il s'est passionné pour la recherche d'animaux encore inconnus de la science. Pour lui, Nessie serait « une sorte d'otarie encore inconnue, plus grosse qu'un éléphant de mer et dotée d'un cou de girafe, un pinnipède [1] muni d'un dispositif d'orientation par ultrasons suppléant à une vision rendue inutile dans des eaux ténébreuses ». Cette créature, il l'a baptisée *Megalotaria longicollis*. On n'a jamais eu de preuve qu'elle existait...

---

1. Groupes des pinnipèdes : mammifères marins semi-aquatiques aux pattes en forme de nageoires.

On n'a jamais eu de preuve qu'elle n'existait pas.

La loutre surnommée Dratsie est, quant à elle, bien vivante, et elle n'est pas la seule de son espèce à écumer les lochs écossais. Si ça se trouve, Nessie et Dratsie appartiennent à la même famille ! À ce jour les recherches continuent.

À ce propos, il faudra peut-être qu'on envoie aux personnes intéressées une copie de notre dernière image. Vers la fin de notre séjour à Drumnadrochit, un soir au crépuscule, Emma et moi sommes allés au bord du loch Ness, dans un endroit éloigné des lieux touristiques. Un vent frais soufflait et il commençait à pleuvoir. Il n'y avait personne d'autre que nous. On a alors remarqué des traces étranges sur le rivage. On les a prises en photo, et on ne les a encore montrées à personne. À suivre...

LES GRANDES ÉNIGMES DE L'HISTOIRE

DOCUMENTS

Le loch Ness

Le loch Ness

Long d'environ 40 km,
large de 2 seulement,
le loch Ness est situé
dans la zone montagneuse
des Highlands, au nord
du Great Glen Fault :
une faille, sorte
de cicatrice terrestre.
Le sol s'est creusé
et ouvert après une série
de secousses sismiques
remontant à quelque
400 millions d'années.
L'empreinte du lac fut
ainsi créée, sa forme
et sa future profondeur
qui atteint aujourd'hui
plus de 300 mètres.
La tour Eiffel pourrait
y être enfouie
à la verticale !
La masse aquatique
est également
impressionnante :
le loch Ness contient
plus d'eau que n'importe
quel autre lac
de Grande-Bretagne.
L'eau est douce, très
froide mais ne gèle pas.
À 15 m au-dessus
du niveau de la mer
du Nord, le loch y est
relié par le fleuve Ness.
Pendant les glaciations,
il y a 10 000
à 12 000 ans, l'endroit
a été recouvert
d'une couche de glace
atteignant 1500 m
d'épaisseur.
On pense que la terre
s'est soulevée lors
de la fonte des glaciers,
ce qui isola le lac.
Cependant, autrefois,
ce loch était
probablement un bras
de mer : on a retrouvé
des coquillages fossiles
à Clava, à quelques
kilomètres à l'est
d'Inverness.
Les espèces animales
vivant dans le loch Ness
n'y sont donc que depuis
moins de 10 000 ans.
C'est très peu de temps
à l'échelle
de l'évolution
de la planète !
À noter :
la terre bouge encore,
dans cette région.

1933 : la première apparition photographiée

C'est dans un contexte historique agité que le monde entier entend parler du "monstre du loch Ness" pour la première fois. Nous sommes au début des années 1930. Une grave crise économique internationale sévit. Une autre forme monstrueuse est en train de prendre forme : la Seconde guerre mondiale. Nessie tombera aux oubliettes pendant quelque temps. Néanmoins, avant, la créature s'octroie son premier quart d'heure de célébrité. En 1933, le long de la rive ouest du loch Ness, une nouvelle route est construite. On dynamite des blocs de rochers, on défriche de grandes étendues de forêt... On peut donc s'approcher des rivages du loch Ness. Différents témoins vont alors mentionner l'apparition de ce qui semblerait être un gigantesque poisson. Les journaux et les radios s'en font régulièrement l'écho. L'Office de pêche d'Écosse reçoit un important courrier, parmi lequel des conseils pour capturer la bête. Un service de cars est créé, entre Glasgow et Inverness, pour emmener les curieux sur place... C'est presque une affaire d'État. Le 13 novembre 1933, Hugh Gray prend la première photo. L'image est publiée le 6 décembre dans le Daily Record et le Daily Sketch. On certifie que ce n'est pas un trucage, et à ce jour, le contraire n'a toujours pas été établi. L'existence de Nessie est officialisée... mais non prouvée. Par la suite, le mystère n'a pas cessé de s'épaissir.

1934 : les premiers canulars

Après la photo signée Hugh Gray,
la "chasse au monstre" commence avec autant
de passions que d'exagérations et affabulations.
En avril 1934, un certain Kenneth Wilson, médecin,
révèle un cliché qui sera le plus célèbre
de toute l'histoire de la créature du loch Ness.
On sait aujourd'hui que c'était un montage...
Une illusion à laquelle tout le monde a cru
pendant soixante ans !

Le Bureau d'enquêtes

À partir de 1961,
et suite au film tourné
par Tim Dinsdale révélant
un grand et mystérieux
animal aquatique de forme
ovale, on commence
à rechercher Nessie
de façon plus sérieuse.
Le Loch Ness Phenomena
Investigation Bureau
est créé. Parmi
les fondateurs :
Constance Whyte, auteur
du fameux "More than
a legend" ouvrage
abordant l'existence
d'un cryptide dans
le loch Ness, et
sir Peter Scott qui, plus
tard, nommera la créature
Nessiteras rhombopteryx.
De 1965 à 1972, le Bureau
a son quartier général
à Achnahannet, à quelques
kilomètres du château
d'Urquhart.
Une exposition est
organisée afin de montrer
au public les équipements
et techniques utilisés

pour tenter de trouver Nessie. Des expéditions sont organisées chaque année durant tout l'été. Sous l'eau, avec des sonars et même un sous-marin dans lequel un seul homme, Dan Taylor, peut prendre place (malheureusement, à cause de l'obscurité de l'eau et des profondeurs exceptionnelle du loch, l'expérience n'aboutit pas). Sur les rives, à des endroits stratégiques, on met en place des camionnettes équipées de caméras. Des normes d'observation sont instaurées de manière stricte. Par exemple, si un bateau navigue dans les parages, il faut attendre au moins trente minutes pour signaler une éventuelle apparition. La moitié des signalements sont refusés par le Bureau, car jugés trop peu rigoureux. On en relève malgré tout régulièrement, au moins treize par an, jusqu'à quarante en 1963.

En 1972, le Bureau doit quitter Achnahannet et, faute de résultats, cesse ses activités.

La merveille du Ness à l'aileron en losange

En 1972, l'Américain Robert Rines, avocat, inventeur, chercheur, part à la recherche de Nessie. Lors d'une expédition avec son équipe de l'Academy of Applied Science (Académie de sciences appliquées), il capte une image, suite à une détection au sonar, qui fera le tour du monde: celle d'une nageoire en forme de losange. C'est de ce cliché que s'inspire le nom Nessiteras rhombopteryx ("La merveille du Ness à l'aileron en losange"). Les experts ont estimé que cette nageoire mesurait entre 1,80 et 2,40 m de long sur 60 à 120 cm de large. Une autre image montre une sorte de queue d'au moins 2, 40 m qui, d'après des scientifiques américains de la Smithsonian Institution (l'équivalent du muséum d'histoire naturelle), évoque celle d'un gigantesque triton palmé. Le Dr J.G. Sheals, conservateur de zoologie au British Museum, se montre, quant à lui, plus prudent : "L'information révélée par ces photos est insuffisante pour permettre une identification", estime-t-il. En 1975, Robert Rines et son équipe prennent d'autres photos sous-marines qui, cette fois, sèment le trouble dans l'esprit de ceux qui ne croient pas en l'existence de Nessie. On aperçoit une créature entière : tête, corps, nageoire et queue. Les clichés sont analysés par des spécialistes

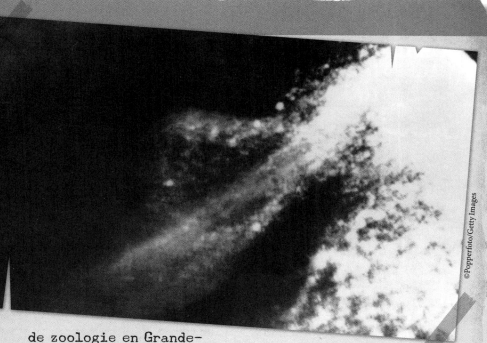

de zoologie en Grande-Bretagne, aux États-Unis, au Canada et en Europe. Leur conclusion ? Oui, de très grands animaux vivent dans le loch Ness, mais on ne peut toujours pas les identifier. Peut-être s'agit-il d'un groupe de plésiosaures, ces reptiles marins préhistoriques dotés d'un long cou et de nageoires... On s'interroge. On cherche. Et aujourd'hui, on rejette la théorie du plésiosaure. Les techniques d'investigation moderne (caméras, sonars) auraient dû permettre de retrouver des traces. D'autre part, l'eau étant très sombre, il y a peu de photosynthèsel, donc peu de possibilité de nourrir d'aussi grandes créatures. Nessie appartiendrait donc à une autre espèce. Laquelle ?

Activités sismiques et illusions d'optique : l'autre explication ?

Le "monstre" du loch Ness est-il un mammifère, un reptile, un mollusque, un amphibie, un poisson... Ou une créature n'appartenant à aucune de ces catégories et décidément non identifiable ? Un cryptide à jamais ? À moins qu'il soit une autre manifestation de la nature, ni animale ni végétale mais aquatique et provoquée par une activité sismique sous-marine ? C'est en tout cas la théorie d'un géologue italien, Luigi Piccardi. En 2001, ce scientifique fait remarquer que les témoins ayant signalé des apparitions de Nessie avaient noté, en même temps, du bruit, des tourbillons et de fortes vagues.

Au milieu de ces remous, des bosses noires. D'après lui, ces apparitions pourraient correspondre à des secousses terrestres sous l'eau. N'oublions pas que le loch Ness se situe tout près d'une faille sismique appelée Great Glen, longue d'une centaine de kilomètres. Une autre hypothèse est également admise aujourd'hui : des troncs d'arbres, notamment de sapins, remontent à la surface et créent alors une effervescence dans la masse d'eau sombre. Enfin, le reflet des nuages sur le loch, le vent et la luminosité si particulière qui règne dans cette région seraient aussi sources d'illusions d'optique. Ces différentes réalités géophysiques peuvent

s'associer à l'envie
de croire à l'existence
d'une créature aussi
effrayante que mythique.
Et si Nessie était
un kelpie ?
Non, ce monstre-là est
bel et bien imaginaire,
même si la peur qu'il
provoque est réelle.
Alors, à l'avenir,
guettons ensemble
les prochaines photos-
satellites...

De l'opération Deepscan aux photos-satellites d'aujourd'hui

Entre 1986 et 1987 se déroule la plus importante – et coûteuse –, expédition pour tenter de percer le mystère de la créature du loch Ness. Une vingtaine de bateaux, des caméras, des sonars, un hélicoptère... Dirigée par Adrian Shine, chercheur et naturaliste passionné, l'opération a comme objectif d'explorer intégralement les profondeurs du lac. Du jamais vu ! Plus de deux cents journalistes suivent l'évolution de cette nouvelle quête.

Deepscan permettra de capter la présence de ce qui pourrait être un animal plus grand qu'un requin mais plus petit qu'une baleine. De quelle espèce s'agit-il ? Peut-être un esturgeon de la mer baltique, pense-t-on alors. Aujourd'hui, les photos-satellite révèlent ce qui ressemblerait à un calmar géant... Et puis, récemment, Dratsie la loutre a fait son apparition ! Avouons que les images évoquent singulièrement Nessie...

LES GRANDES ÉNIGMES DE L'HISTOIRE

La malédiction de Toutankhamon

1922, dans la vallée des Rois en Egypte.
L'égyptologue Howard Carter est sur le point
de faire une découverte extraordinaire.
Il retourne la terre à la recherche de la tombe
du pharaon Toutankhamon   Alexander Snooper,
journaliste passionné par l'Egypte depuis
son plus jeune âge, réussit à convaincre son
journal de l'envoyer en reportage sur le site
des fouilles entreprises par Howard Carter.
Il est le témoin privilégié de la découverte
du tombeau, mais aussi, quelque temps plus
tard, des morts inexpliquées qui frappent
les personnes ayant participé à l'expédition...

L'homme au masque de fer

L'histoire du plus célèbre prisonnier
de France, emprisonné à la Bastille jusqu'à
sa mort. 1703 : à 13 ans, Baptiste est apprenti
dans l'atelier de ferronnerie de maître Jean.
Ses difficultés d'élocution lui ont valu tant
de moqueries qu'il s'est muré dans un silence
protecteur, si bien qu'on le dit sourd et muet.
Or, un jour, le gouverneur de la prison de
Bastille a besoin d'un garçon à tout faire
pour servir un mystérieux prisonnier, enfermé
depuis 30 ans, et portant un masque de fer.
Baptiste est le candidat idéal: avec lui,
aucun secret ne sera révélé! Les confessions
de ce prisonnier vont faire du jeune garçon
le seul témoin de l'identité de l'homme
au Masque de fer...

La Bête du Gévaudan

1764 : Pierre Fontenelle, jeune naturaliste,
parcourt la France pour étudier les animaux,
et surtout les loups. Les vallées du Gévaudan
en regorgent, c'est donc l'endroit parfait
pour écrire son article qui paraîtra dans
l'Encyclopédie de Diderot ! Mais, dans cette
région sauvage, la route de Pierre croise celle
d'une bête féroce, d'une espèce inconnue, qui
terrorise la région. Le scientifique va alors tout
faire pour découvrir quel est cet animal. Qui,
dans le climat ambiant de peur, pourra l'aider ?

Le Triangle des Bermudes

Mattéo, 13 ans, passe des vacances de rêves
aux Bermudes avec ses parents et sa soeur Lily.
Entre les journées à la plage et les excursions
sous-marines, il y a de quoi s'émerveiller !
Mais ce paradis sur terre recèle bien des secrets :
des centaines de bateaux et d'avions ont disparu
à cet endroit, sans que l'on retrouve ni débris
ni corps. Pour Mattéo, qui cherche l'aventure,
ce mystère est une aubaine. Et cet homme sans âge,
aux yeux brillants, qu'il croise sans cesse
sur son chemin, semble lui aussi intéressé...